E

E

E

E

E

E

C

E

E

E

E

E

C

E

E

E

E

E

E

E

E

E

E

E

E

E

E

E

E

E

E

E

E

E

E

E

E

E

C

E

E

E

E

E

E

E

E

E

E

E

E

E

E

E

E

E

E

E

E

E

E

E

C

E

C

E

E

E

E

E

E

E

E

E

E

E

C

E

E

E

E

E

E

E

E

E

E

E

E

E

E

E

E

E

E

E

C

E

E

E

E

C

C

E

E

E

E

E

C

E

E

E

E

E

E

E

E

E

E

E

E

E

E

E

E

E